MW00487658

QUINO

Quino
A la buena mesa -14ª. ed. -Buenos Aires : Ediciones de la Flor, 2008.
80 p. ; 23x19 cm.

ISBN 978-950-515-611-5

1. Humor gráfico argentino I. Título
CDD A867

Decimocuarta edición: octubre de 2008

Gorriti 3695, C1172ACE Buenos Aires, Argentina.
www.edicionesdelaflor.com.ar

Hecho el depósito que dispone la ley 11.723
Impreso en la Argentina
Printed in Argentina

A LA BUENA MESA

introducción a la gastronomía

EDICIONES DE LA FLOR

Los proveedores

CHEZ PEPE
ESTAURANT

75
POS
Monsieur
Jacques Dupont
Restaurant Le Chat
R 7018

La cocina

PTUÁGH!...

SERRANO
JAMON SERRANO
JAMON

JAMON SERRANO

Menu

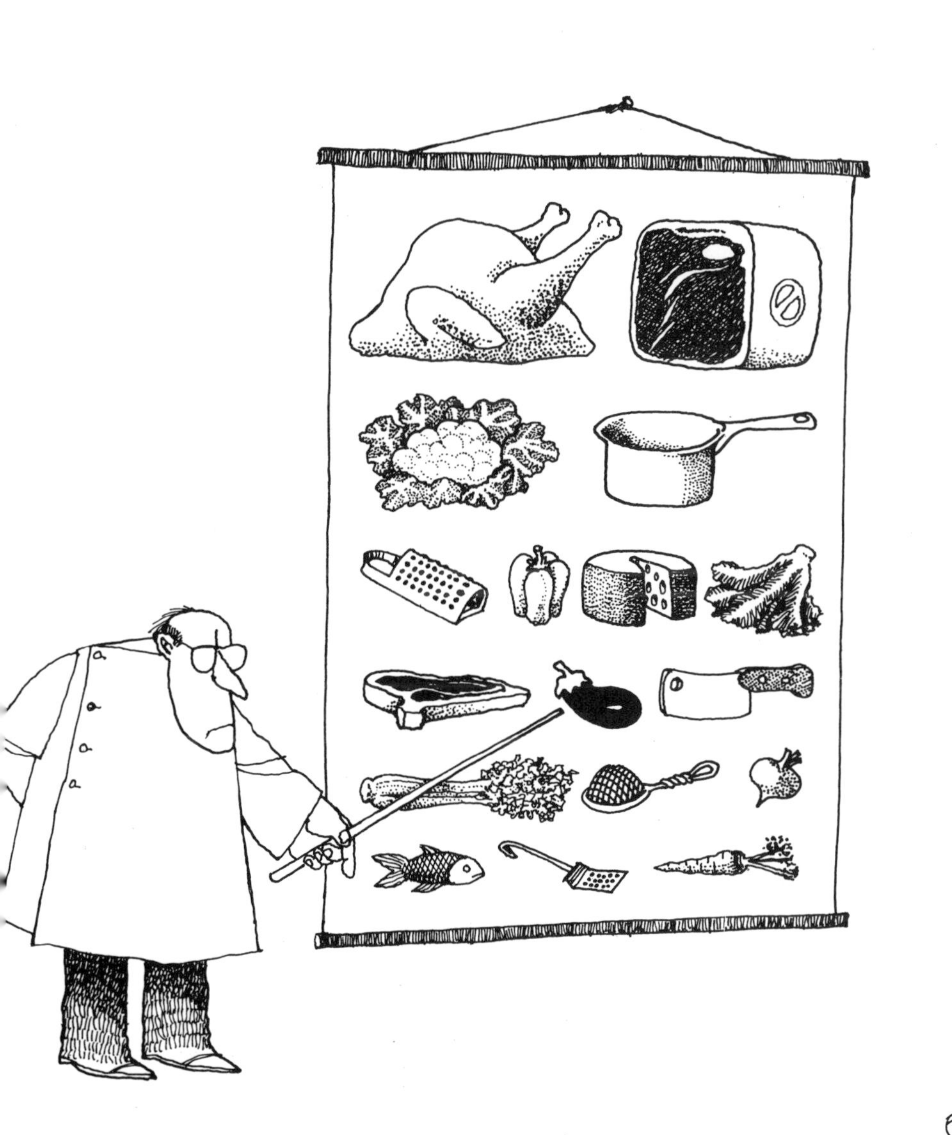

La elección de los platos

MENÚ
MENÚ

MENÚ

¿QUÉ TAL ESTÁN LOS ÑOQUIS?

¡OTRO SIBARITA!

Las bebidas

CONSORZIO
0,720 931570
IN VINO VERITAS
Chianti
Classico
ENOMINAZIONE DI ORIGINE CON
CANTINE DI S. CASCIAN

El servicio

PUEDE
EMPEZAR,
NEUTRONIX

NO
SI

NO
SI
Robot's
SERVICE

El ambiente

Cinco tenedores

Los restaurantes típicos

Menú

Menú

Menú

Los sandwiches

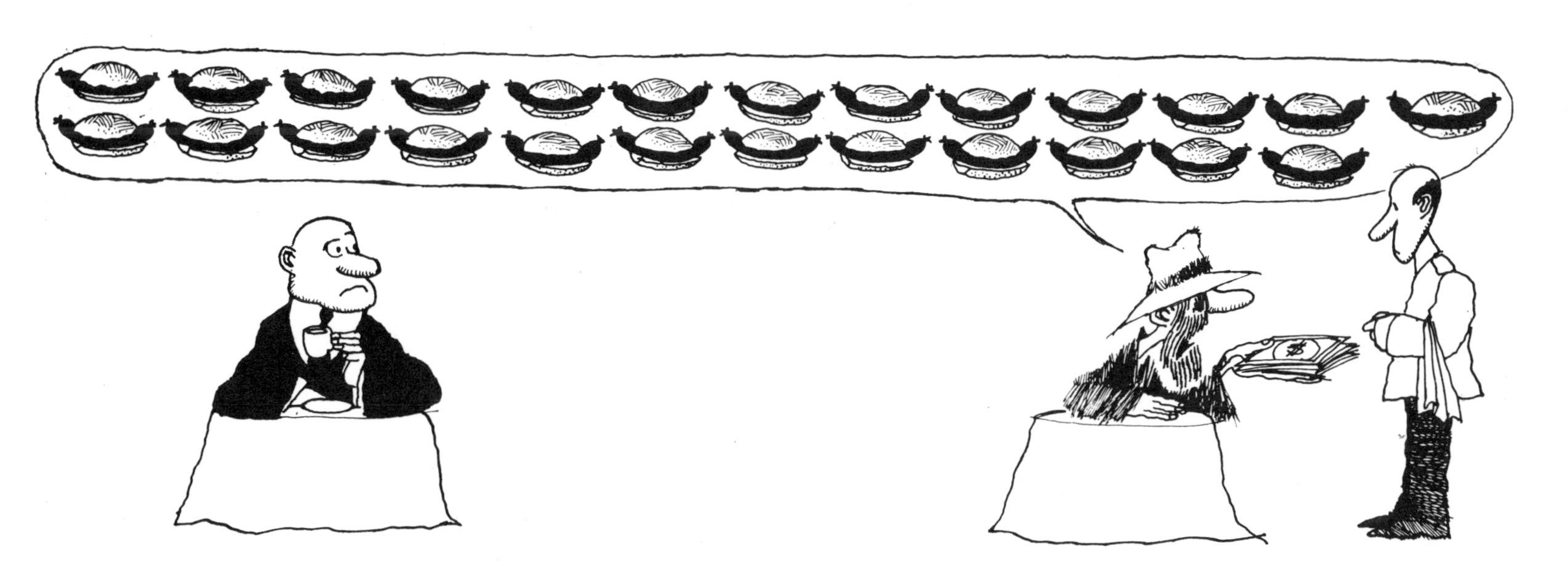

REPUBLICA ARGENTINA
100
CIEN PESOS
BANCA D'ITALIA
LIRE
DIECIMILA
500
BANCO DE ESPAÑA
MIL
PESETAS
1000
UNITED STATES OF AMERICA
ONE
ONE DOLLAR
20
BANQUE NATIONALE SUISSE
10
50
FÜNFZIG
DEUTSCHE
MARK
CENT
BANQUE DE FRANCE
100

La cocina dietética

Dr.

POLIC

La calificación

¿EL SEÑOR?
EL SEÑOR

Esta edición de 3.000 ejemplares se terminó de imprimir
en **KALIFÓN S.A.** Humboldt 66 (B1704GMB)
Provincia de Buenos Aires, Argentina, en octubre de 2008.